S0-BKK-180

2000 年 **5** 月 **20** 日 第 **1** 刷

中文版獨家代理銷售地區/香港・澳門

鬼眼狂刀

原名：SAMURAI DEEPER KYO

第 **3** 集　　作者：上条明峰　　　譯者：林上園

(Samurai Deeper Kyo)© 2000 Akimine Kamijo
All rights reserved.
First published in Japan in 2000 by Kodansha Ltd.,Tokyo.
Chinese version published by Tong Li under licence from Kodansha Ltd.

出版：東立出版集團有限公司

地址：香港北角渣華道321號柯達大廈第二期1901室

書報攤經銷：吳興記書報社　TEL：2759 3808

漫畫店經銷：一代匯集　　　TEL：2782 0526

承印：美雅印刷製本有限公司

地址：九龍觀塘榮業街6號海濱工業大廈4樓A座

・本書如有缺頁、倒裝、破損之處請寄回更換・

版權所有・翻版必究

日本講談社獨家授權香港中文版　　　**定價：HK$28**

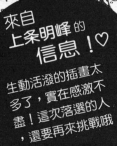

來自
上条明峰 的
信息！♡

生動活潑的插畫太
多了，實在感激不
盡！這次落選的人
，還要再來挑戰哦
！

〔埼玉縣／
增田寬子〕

☘ 凜然剛強的氣度很
出色，有成熟感。

還有，明信
片拜託用黑
色墨水或墨
汁寫！

〔大阪府／
大山喇叭〕

☘ 這種個性，是屬於
個人的諸多嗜好！

〔靜岡縣／竹房慶子〕

☘ 沒有日本味道，但很有趣啊！

**募集
要項**

「鬼眼狂刀」的插畫大募集！優秀作品
將在鬼眼狂刀的單行本中發表！被刊登
出來的人，我們將送他鬼眼狂刀特製紀
念品。

※插畫請用鋼筆畫，以明信片寄過來！

（對上条老師的詢問信函
也在募集中！）

有興趣之讀者請寄以下地址：

〒112-8001 東京都文京区音羽2-12-21 講談社 週刊少年マガジン編
集部 KC「SAMURAI DEEPER KYO 上条明峰に挑戦！」

〔福岡縣／新粥歡矢〕

☗ 陰影跟恐怖氣氛
完全失敗！

堅持狂

KYO

鬼眼狂刀

SAMURI DEEPER

上条明峰的挑戰！

非常
感謝大家
♥

〔東京都／康保達修〕

☗ 不知不覺接受
了！

如果不給我畫
漂亮點，那就
太過份了！

還有我也
一樣！

最後拼老命漂
亮贏得勝利者
會是誰呢…？

跟「射門得分」同樣的意義！
來自大島司先生的鼓勵明信片！

這種形像如果不錯，可獨自用來當
作主角！大島先生，請再來玩！

Special Thanks

☑ 因為是不熟練者…

名稱將會以傳真送給承辦編輯。

喂!第○頁看不出來!

對不起!我重新影印傳真給你!

沒有時間了,直接唸給我聽…

好…

不過,這一頁…

H先生正在等著…

没有意義。

在聽嗎?

「喂!你有重新想想…

（略）

「喂!」

啊?

沒辦法＝要重新想想…

我說對白啦!

等待中

「喂…真的有在聽嗎?

不要害臊,我也很不好意思,聽著!

（中略）我愛妳…」

等待中

那我要掛電話了。

好的…

請大家自己想像…

從今以後,我不想再寫那種丟臉的對白了…

白了…

▷ 自己的筆名都弄錯了,漢字應該寫成上条明峰才對。如果明信片堆積在角落上,我想就必須拜託助理了,但是不會有問題…呼…很感謝大家!

▷ 看過很多讀者的來信詢問!從下集開始,我想振作回答問題,請大家期待…!

鬼眼狂刀⋯⋯我「蜘蛛遣」眞尋會殺了你跟眞田幸村，

來完成我對你的復仇！

〔第4卷待續〕

〈揭載／週刊少年マガジン1999年第41号から第50号，第44号休載〉

惡鬼‥‥‥○○○○○○◎

什麼？

咦——？

咦──?

ピ

夕

真是──源次郎爺爺是
模仿**真田幸村大爺**，
穿著繡有六文錢徽紋
的衣服，才會被弄錯
啦!

他這個人就是愛
裝模作樣。

ど゛っ

幸村大爺應該是被
幽禁在**紀州九度山**
才對吧?不可能會
出現在江戶這種
地方的!

真好笑…

哇哈哈…

是嗎?那你這位冒
牌的**幸村**爺，找我
到底有什麼事呢?

我只是聽看看
而已嘛。

⋯⋯
開⋯玩笑的嗎?
可⋯可是⋯⋯

這玩笑開得
有點恐怖──

呵呵呵!

雖說世界這麼
大，但這件事
也只有鬼眼狂刀
能辦到而已!

這個人⋯⋯

9

唉～京四郎真是比他好多了……既聽話又不會幫我辦事，更不會亂花錢……

京四郎……以後再也見不到你了嗎……

什……什麼，幹嘛這麼喪氣！

只要有一百兩我就可以知道一背上有疤痕的男人一在哪裡了！

鬼眼狂刀只不過值百萬兩而已！而且他跟京四郎雖然稍微不都是人？不過還是一樣，就用以前的態度對他應談──也行得通！

這跟京四郎一點關係都沒有！我的目的只是要狂那價值一百萬兩的腦袋（＝十一百文）！

沒錯──！

喂！狂！我才不會是照你說的去做！

KYO 鬼眼狂

其之二十三
進入江戶

那就好比是妳站在水中時，如果有敵人侵入妳的四周時，就會產生水波。

依據那個水波，就可以發現敵人及他的方向！

高手的範圍，就和那一樣！

只要持續警戒著，即使睡著了也會知道有人接近！

想要不露痕跡地闖入那種範圍中是不可能的！

咦？可是剛才那男人就走近了狂的四周……

就是個功夫超級高的高手！

所以狂才嚇了一跳啊！

能那麼簡單就闖入狂的四周……

對方如果不是敵意的天真孩童──

！

嘿！

看來到了江戶……

還會有一場好戲上演

是眞田幸村最厲害吧？

ヒック

啊……？

剛剛還在摸奶的傢伙

眞田幸村爺嗎？

不行！不行！大將不算數！他們都是被部下保護著，只會在馬背上耀武揚威而已！

也有道理…

不！不似乎只有那人比較與眾不同！據說…

他身高一丈十尺（約三公尺）、體重五十貫（約一百九十公斤），力無雙，經常在前線衝鋒陷陣，在戰役中砍中敵人腦袋最多，臉似惡鬼，

即使在關原之戰，他到最後都讓德川部隊吃足苦頭，如同惡鬼一般……

耶？

那些傢伙全都是廢物！

照這樣說是幸村爺最厲害了吧！

不，我說還是宗矩爺武功最高吧！

是

是這樣呀…

ブリ

如果要大膽製作標題… **鬼眼狂刀** 的小狗（笑）

就鬼眼狂刀的角色而論，小狗是怎麼樣的種類呢？（因為像笨狗，所以才會想這種事。）京四郎像狼犬，但狂刀客…。果眞是狂犬！（不好笑）

是原來電話之前或接著之後呢？ 總覺得習性很容易被看穿。

單行本第一集託八至丘先生的福氣。 讀者來信非常多。

11·23·99 SHO YASHIOKA

↑八至丘 翔

■STAFFS■

YUZU HARUNO(The chief staff)
HAZUKI ASAMI
KENICHI SUETAKE
TAKAYA NAGAO
SHO YASIOKA

●感謝來信鼓勵同仁！希望大家能快樂閱讀！

這只是片冰壁呀……

喂……

在哪裡？

找到了嗎？太好了！

那個……

什麼啊？

那個……

那個……到底是怎麼回事？

咦……？冰裡面好像有什麼東西……？

究竟「朔夜」跟京四郎以及狂刀他們有著什麼關係呢？

接招！

「虎翼」之下，都無所遁形！

愚蠢的東西，我就讓你見識見識吧……我得到的新力量……

呼哈哈哈啊——！

喔啊啊！

啊？

好吧！隨你高興……

感激不盡……狂刀爺！啊嚴馬爺，抱歉，就讓我先當你的對手啦！

喂！嚴馬！你贏了這傢伙後，我再來陪你玩！

你在打什麼鬼主意我不管，但是像你們這種三腳貓不管來多少都不是我的對手的！

ニィ！

到江戶去吧──

你要找的人，應該就在那裡，才對……

……妳這傢伙……

江…江戶……？

跟京四郎的目的地一樣……

難道京四郎跟鬼眼狂刀在找的人……

是同一個人嗎──？

那是為了我自己，而必須得找到的人……

那可不行！

看來他真的和傳說中的一樣強耶！

不……！

啊……？

他確實是很強，不過和我以前看到的有些不同！

以前是每當京四郎有生命危險時，現身。他會扯破那像封印般裹在刀上的破布，接著鬼眼狂刀就會

你這傢伙！

但是這次他並沒有生命危險，也沒有扯開破布，鬼眼狂刀就自己出現了！

我雖然不知道那代表著什麼意思，不過……

可以很清楚地看出，鬼眼狂刀的邪惡程度已經明顯地增加了！

呵呵……

破解了⋯⋯！

怎樣？被自己的絕招攻擊後遭破解的感想想如何？

你的結果做得相當不錯喔！

多虧它才能讓櫻花燒得那麼漂亮！呵呵⋯

想知道爲什麼我沒有殺你嗎

⋯⋯⋯？

嗚⋯⋯

離開日本的新人促銷1430號。

強行進入末武宅的機動隊。

新人促銷1430號失蹤？

　　新人促銷1430號，專心在打掃浴室，突然受到神的啓示，留言說「我要去修行，成爲大人物。」就往納美波美沙漠出發。

　　就在四天之後，特別愛吃速食拉麵與飯的末武憲一，在廉價公寓中，正以清爽的笑臉在做著ＮＨＫ的「全民體操」時，突然有一百名機動隊人員，強行進入。以嘆氣的模樣，望著末武憲一被綁架而去的鄰居，聽到了不是人的臨死哀叫聲。

　　　　　　　　　（路透通信社）

⊕ 發現壁虎！

⬆ **末武憲一**（新人促銷1430號改造）　　　⬇ **長緒隆也**

助理長緒的冒牌貨劇場

～ 鬼眼狂刀跟白鴉改變印象失敗之卷。～

運用「其之十九 幻影的盡頭」
試讀本篇看看！

連我也是…
受到牽連了…！

是什麼原因？

上條大師…畫這種漫畫實在很抱歉。

哇啊呀～！！

喂！是不是要把膚色弄好呢？白鴉

咕…

好戲從現在開始！

什麼？櫻花應該燃燒啊？白

⊕ 白鴉往後可改名成白鴿嗎？

別以爲同樣的招式還行得通！

17

你是誰呀？

鬼眼狂刀KYO

刀

現在總算是清醒了……

那把刀…

那……

可…可是…

喂！你們哪一個…

那把刀明明沒有拔出，鬼眼狂刀為何會現身呢———!!?

想要先死？

喂！你有在聽嗎？

我比任何人
都相信你——
所以你要活著
回來喔……

喂！你真的
有在聽嗎？

不用害臊……
聽我說呀！
我也是
很難為情呀！

京——……

我愛你……

我愛你……

反正他活著
也是人渣……
所以乾脆讓他
死了不是更好？

你……
你還是人嗎？

呵……
這個世上
最需要的
就只有力量……

過份……

哇啊啊！

慶會……

對了！
鬼眼狂刀……

為了讓你這傢
伙，露出真正的本
性，我已經幫你
叫來一些有意思
的人了！

原來你在這裡啊京四郎……?

由夜姑娘……

興致很好嘛！竟然一大早就在賞花。

對不起，由夜姑娘！肉丸子已經沒有了。

因為昨天都被妳吃光了

真掃興……

我沒事招呼她幹什麼…

啊……

不過，你居然連早飯都不吃就來看櫻花，今天太陽打西邊出來了嗎？

平時都是直接跑去吃飯

你今天肚子痛嗎？

我一看到櫻花……

就會回想起以前的事……

……真是！今天是鬼頭一家要來的日子，可不能亂浪費子彈。

老婆婆！妳也那樣認爲吧！

嗯啊……？

沒問題有我在保護由夜姑娘妳呀！

你就只有那張嘴會説！

別擔心！我們一定會保護老婆婆的！

妳不用擔心。

……

我説……小姑娘……

事……什麼？

您……怎麼了嗎？

對了……京四郎呢？

對呀……他跑到哪兒去了……？

什麼都沒有……

不……沒什麼……

？

真正有的絶妙故事!

在製作群很受歡迎的黑蠍先生! 今天心情很爽!

♥相當不錯! ☞正確的名字叫嗶波先生!（真的是很不錯啊…）

服裝不一樣

↑春野　↓淺見葉月

工作場所的風景

● 工作場所，總是這種感覺。反正就是很快樂。我想到有很多更奇怪的會話，但已忘記了。總之，要慶祝第三集發行。

● 不過，上次有人在學校等待「鬼眼狂刀」第一集，讓我內心很不安，總覺得好高興。是不想引人注意嗎？

（小心者）

1999.11　HAZUKI.ASAMI

拿春野先生當題材，實在很抱歉。

☞托你們的福，工作總是能快樂完成…真的是很奇怪!

那⋯告訴我秘密的情報吧～～♡

沒問題只要是由夜姑娘想知道的，我全部都說！

你為何那麼乾脆呀？

首先是白鴉，那傢伙頭髮是白色的。

其次是黑蠍，那傢伙全身發黑。

嗯！嗯！還有呢？

其他的不知道了。

啊！

不過妳放心！我絕對會保護妳！

怎麼了？迷上我了？

⋯⋯

你真的是三彩眾之一嗎？

怎麼會什麼都不知道！

不知道啦！我們三個人根本很少聚在一起！大家各自有事⋯⋯

再說，你是敵方的人，為何要跟著京四郎回來⋯⋯？

因為你們這邊比較有趣呀！

很正常吧！

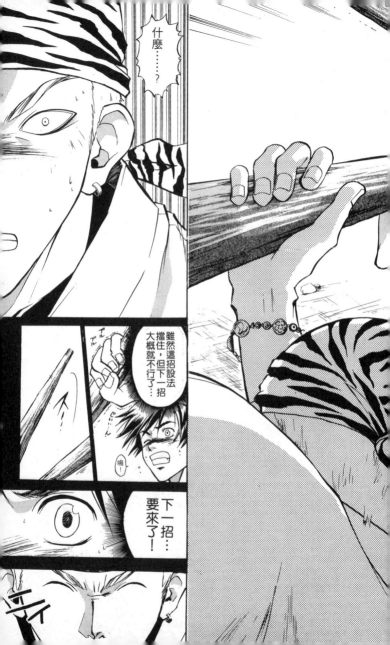

目　次

本故事純屬虛構，與實際
的人物、故事、團體無關。